DO674222

Pirates du dimanche

Pour Guillaume et Nicolas.
Pour Marie et Julie.

« Des mains font des vers à lire
D'autres des revolvers qui tirent… »
Alain Souchon.

Du même auteur

Un flocon d'amour
À la folie, plus du tout...
Tu as perdu ta langue ?
Le Chant secret des tam-tam
La Première Larme
ACTES SUD JUNIOR

Rendez-vous n'importe où
Le Meilleur en tout
Ma grand-mère en container
Sans toit ni moi
Les Infernaux
THIERRY MAGNIER

Direction artistique :
Guillaume Berga

Maquette :
Amandine Chambosse

ISBN 2-7427-6344-9

Loi 49-956 du 16 juillet 1949
sur les publications destinées à la jeunesse

THOMAS SCOTTO

Pirates du dimanche

ILLUSTRÉ PAR
ÉRIC HÉLIOT

ACTES SUD JUNIOR

1

Lion sur Bermudes

Les cousins sont arrivés les premiers, mi-juillet, au « Pavillon ».

– Mathieu, Mathieu, je passe en sixième ! hurle Maxime en m'ouvrant la porte de la voiture, bondissant comme toujours.

– De jus-tesse, elle a dit maman ! précise Alexis à sa suite, une chaussure de plage en plastique dans chaque main. T'auras des devoirs de vacances pendant tout l'été, alors fais pas trop le fier…

Alexis se fiche d'être le plus jeune.

Jamais rien ne lui échappe et, question de nous tenir tête, il est carrément champion.

Papa tire sur le frein à main, qui bloque les roues dans un nuage de poussière. La portière manque de se refermer sur les doigts de Maxime.

Lion-sur-Mer, enfin.

Comme le recto d'une carte postale. Le rêve d'une année entière. Je retire tout ce que j'ai râlé dans la voiture : ça valait vraiment le coup de partir à 6 heures du matin.

Lion-sur-Mer, ça sent surtout le varech. Une odeur d'algues gluantes qui prend à la gorge et pique le nez. Quand on était des petits, mon oncle nous a fait croire que si on trempait ne serait-ce qu'un doigt de pied dans cette bouillie verdâtre qui surnageait, on mourait six secondes après dans d'atroces souffrances, le corps couvert de pustules, comme empoisonnés par une sorcière de Normandie.

Un vrai raisonnement scientifique.

Du coup, chaque été, on fait encore des kilomètres de plage pour trouver le bras de sable où se faufiler jusqu'aux premières vagues.

Pendant que les parents s'étirent, le dos en sueur, que maman se sert un verre d'eau et que papa fait faire le tour de la nouvelle voiture à tonton – pneus, phares, moteur… bien sûr comme l'ancienne… mais en mieux –, Maxime m'entraîne dans notre chambre à l'étage.

Le dortoir des cousins. Un repaire de garçons avec mode d'emploi et précautions à suivre à la lettre sur la porte d'entrée. La seule vraiment importante étant : « Un pas de plus = risque de désintégration immédiate. » Avec un petit astérisque au bas de la feuille parce que, pas vaches, on a quand même voulu prévenir : « Ce serait vraiment trop bête de mourir pour les vacances, non ? »

Le parquet de l'escalier craque sous notre poids. Je suis un peu plus lourd que l'année dernière.

En haut, les trois lits bien en rang n'ont pas bougé d'un centimètre. Ils nous ont attendus, patients. Les draps de couettes aux motifs « pirates » sont bien tirés. Là, sans attendre, Maxime décide de réveiller notre vaisseau maudit. Il se jette en avant.

Mutinerie à fond de cale ! Grincements de rouille et gargouillis terrorisés des matelas. En accord avec les parents, les ressorts n'aiment pas qu'on fasse du trampoline sur eux. De vrais faux culs !

C'est bien simple, Maxime saute à pieds joints dessus. Ses mèches rousses se dressent et se plaquent sur son front au rythme de ses bonds. Quand soudain, il décoche un sabre imaginaire en me défiant :

– Lion-sur-Mer est à Rackam le Roux ! Aux chiottes les marins du dimanche !

Alors je franchis lentement le seuil de la porte. Poum, clac… Chacun de mes pas est important. Poum, clac… Ça ferait presque une entrée de capitaine si le papier peint de la chambre ne ressemblait pas à un champ de coquelicots avec ses milliers de petits ronds rouges sur fond kaki.

– Lion-sur-Mer aux vrais corsaires ! répète Maxime.

Aucune autre solution. Je prends ma voix de galion englouti :

– Personne ne se moque de son capitaine. Surtout quand il vient de perdre une jambe et demie à combattre dans le triangle des Bermudes.

Maxime le fourbe grimpe aux cordages, les pieds nus. Il veut me « regarder de haut », comme dit maman à propos de son patron quand il veut lui montrer qui est le patron. Je le laisse filer vers la vigie. L'océan qui s'agite fait tanguer le navire mais, ma jambe de bois bien plantée dans le pont, je reste immobile.

Soudain, Rackam le Roux se retourne. D'en bas j'entends presque ses dents qui grincent de rage. Remarque, grincer des dents, pour Maxime, ce n'est pas étonnant, il le fait déjà toutes les nuits quand il dort. Un vrai cauchemar !

Je sors de ma poche mon pistolet étincelant. C'est un cadeau du Borgne, un vieux pirate qui venait souvent boire un verre dans la taverne de mes parents. « Petit, un jour tu en feras bon usage. » Ce jour est aujourd'hui !

Je pointe mes doigts serrés dans la direction de mon ennemi. Pas un sourire. Mon visage est une mer calme, sans aucun vent pour la faire broncher. Je vise.

– Paow ! Paow !

Rackam le Roux est surpris.

Il grimace ; rire « pas net pas net ». Lentement, il regarde son ventre aéré comme une passoire sans nouilles et se laisse tomber dans les draps de son dernier lit.

Raide mort.

Franchement, ça ne peut pas finir autrement quand les mousses se croient les plus malins du navire.

– Ainsi s'achève *La Terrible Revanche du capitaine Varech*. Sortie DVD pour Noël prochain !

Du bord de son lit, Alexis nous applaudit mollement. Il fronce les sourcils en pestant.

– Bon, ça va bien votre cinéma de Canal Satellite, mais on le commence quand notre été ?

2

Une sirène à la proue

Pour la réponse, on n'a pas mis longtemps. Trop évidente.

– C'est vrai ça, on est complètement en retard pour le début des vacances !

Maxime étouffe un rire dans son oreiller avant de se relever.

– Qu'est-ce qui se passe ? s'emporte Alexis. Ben, qu'est-ce que j'ai dit ? Eh, vous foutez pas de moi, hein…

– Du calme, sans le savoir, tu viens de nous sauver l'été tout entier…

En quelques enjambées, nous nous retrouvons sur la promenade qui longe la plage. Alexis se méfie. Ça se voit dans ses yeux. Il sait qu'on est capables de tout, et pas simplement du meilleur. Je le mets en confiance.

– Écoute, l'année dernière, t'étais encore trop petit pour l'aventure mais là, prépare-toi à la plus belle surprise de ta vie !

– Crois-moi, ajoute Maxime, dans deux minutes tu vas voir double. Le vrai chant des sirènes !

Parce que la première des choses urgentes à faire à Lion-sur-Mer, ce qu'il ne faut rater pour rien au monde, mieux qu'un miracle ou qu'un lever de soleil, ce sont les seins de Marie, la vendeuse de guigui.

– Wouhaaa !

La mâchoire d'Alexis tombe toute seule. Je la retiens quand même pour qu'elle ne se perde pas dans ses chaussures.

– Discret, je précise. Discret...

Quand la famille qui nous précède s'éloigne, les mains pleines de sucreries, on lance en chœur un « bonjour Marie ! » avec un sourire appuyé de dessin animé.

– Tiens ! Mes trois mousquetaires d'en face ! C'est opération vacances ?

– Oh oui ! dis-je. Et je compte bien échapper aux problèmes de maths pendant deux semaines.

– Attends, Marie. Faut bien tout ce temps pour préparer la sixième ! se vante Max.

– Et faire tes devoirs, chuchote Alexis.

– La sixième ? Déjà ? Mais c'est parfait ! Encore quelques années et vous serez derrière le comptoir avec moi ! À quinze ans, je vous embauche pour l'été.

Marie se penche dangereusement vers nous par-dessus le comptoir. Un instant, chacun garde sa respiration bien accrochée dans ses poumons comme les marins avant la tempête. Avec toute cette chaleur dans mes

joues, je dois être aussi rouge qu'un homard après la cuisson.

– Alors quel parfum, les garçons ?

– Euh… quel parfum… euh… non… deux boules pour moi, panique Alexis.

Et nous quittons Marie.

Quelques mètres plus loin, Maxime déborde de rire.

– Alors là, du grand art, frangin ! La vraie classe !

– Si, si, Alex tu as remporté l'épreuve haut la main ! À ton âge j'avais pas fait mieux... deux boules alors qu'on te propose une sucette à la guimauve. Très très fort.

– Mouais, ça va, ronchonne Alexis en prenant le large vers le bout de la digue.

La guigui déroule ses longs fils de sucre entre son bâton et nos bouches ; goût framboise pour moi. Le côté guimauve, c'est super bon mais autant dire qu'on s'en met très facilement jusque dans les cheveux et qu'on a franchement les dents qui collent entre elles, longtemps après.

– Bon, Mat, j'ai plein de choses à te raconter. Je crois bien qu'il va falloir une rallonge de vacances pour terminer la liste !

C'est ça, la vie de Maxime. Une suite de cadeaux impressionnants. Et ce qui est dingue, c'est que je ne suis même pas sûr qu'il les ait tous commandés.

Maxime reprend :

– Tu sais, mon pote Théophile, je t'en ai déjà parlé ?

Je ne peux pas empêcher ma voix de trancher vif :

– Ben oui. Vous êtes ensemble depuis le CP, je commence à le connaître.

– Exact. Eh bien, on se l'est joué plutôt cow-boys que pirates en milieu d'année. En fait, on s'est carrément castagnés, les poings dans les poings. L'histoire, c'est qu'il était raide dingue amoureux d'une fille et que maintenant, elle est amoureuse de moi. C'est quand même pas de ma faute !

À côté, le vieux manège pour petits démarre à grands coups de klaxon et de lumières clignotantes. Les avions décollent, les jeeps roulent vraiment et même la girafe semble courir dans la savane. Au deuxième tour, après avoir ramassé les tickets, l'homme fait sautiller le pompon de main en main. Reste à savoir qui sera le plus habile, le plus chanceux aussi. Maxime l'attrapait toujours quand nous en faisions des tours. Aucune pitié pour les autres.

– Ben c'est super...

– Super ? Géantissime tu veux dire ! Je lui ai promis de lui téléphoner souvent, de ne pas trop faire le fou, de bronzer et de lui ramasser des coquillages.

Tout un programme. Maxime se tortille sur le parapet. Il rayonne sous ses taches de rousseur.

Moi, question « filles », je préfère changer de sujet. Je n'y arrive pas, je ne sais pas y faire, je n'ai pas le mode d'emploi. Maman me demande souvent si je veux inviter une copine à la maison. Papa, tout fier, m'a bien expliqué l'amour, les bébés, et tout et tout ; mais rien.

En revanche, pour Maxime, je vois bien pourquoi ça marche. Il a ses muscles, ses cheveux explosés, son look extra et son rire. Pourtant, cette fille doit l'avoir drôlement chamboulé parce qu'il m'avait envoyé une lettre pour me parler d'elle. D'accord, elle était très courte et pleine de fautes mais Maxime... une lettre... c'est peut-être aussi rare que de recevoir des nouvelles personnelles de Jackie Chan.

Elle s'appelle Agnès, elle est blonde, et tous les deux se mettent souvent au fond du car pour être tranquilles. Je sais tout ça.

Pour ce qui est de ma sirène, je sais d'avance qu'elle n'arrivera même pas aux prochaines grandes marées. Peut-être qu'elle ne connaît pas les calendriers de navigateurs, peut-être

qu'elle est restée coincée dans les embouteillages sous-marins, peut-être même qu'on l'a pêchée à Saint-Malo et qu'elle a fini en sushi à Paris. Bref, le jour où elle se décidera à m'accoster, faudra pas trop que je me laisse chavirer. Parole de pirate !

3

Toutes voiles dehors

Nous revenons sur le perron du « Pavillon ».

En fait, le Pavillon ne ressemble pas à un pavillon. Enfin, pas à ceux qui poussent, rapides, en banlieue des villes. Non. C'est un ancien hôtel, face à la mer.

« Ne le répète pas à ton père, mais c'est ici que j'ai embrassé un garçon pour la première fois... » Ce jour de vérité, maman avait des yeux de petite fille. « ... On se cachait entre les cabines de plage, ou sur les rochers près de la falaise pendant que les autres pêchaient les crevettes, et hop, sur la bouche !... »

Merci bien pour les détails ! Je préfère ne pas trop savoir. L'amour des grands, c'est comme la guimauve. Quand ce n'est pas trop sucré, écœurant, dégoulinant, ça fait des fils d'histoire qui n'en finissent plus.

« … On pensait être à l'abri mais plus tard, on a appris que sa grand-mère avait des jumelles… et qu'elle voyait tout. Aujourd'hui, je crois qu'il est pâtissier à Paris. C'est fou la vie ! » avait conclu maman.

Dans l'escalier du premier étage, nous trouvons un peu de fraîcheur cachée. Je passe une jambe par-dessus la rambarde en bois.

– Tu te souviens de la toile ?

Maxime s'illumine comme pour une bonne idée.

– Celle du bas de l'armoire ? Dans la chambre de mamie ?

Une nouvelle fois, Alexis ouvre des yeux de bigorneau. Faut dire, la fouille au Pavillon, c'est plus fort que nous. Notre activité principale. Mais Alexis ne connaît pas toutes nos trouvailles ; secret d'État, pour éviter qu'il ne nous cafte. On lui dit toujours de faire le guet et c'est déjà un sacré poste, une récompense presque.

Sans attendre, nous redescendons, aussi légers que trois hippopotames. Nous passons devant la cuisine où maman pétrit la pâte du pain aux noix que tout le monde lui réclame.

– Pas de bêtises, les cousins ! lance-t-elle sans relever la tête.

– Mais non... bien sûr que non !

On dirait qu'elle oublie les petites ailes de sagesse qu'on a dans le dos. Nous longeons le couloir de l'entrée et à droite, nous retrouvons la chambre de mamie. Les meubles sont restés intacts. C'est devenu le bureau de ceux qui veulent travailler à l'écart, dans le silence.

Aussitôt, Maxime s'assoit sur le tapis, prend appui de chaque côté de l'armoire avec ses pieds et tire de toutes ses forces sur le lourd tiroir. Petit à petit, le bois coulisse, sans même grincer.

– La toile, souffle Max, de l'excitation plein la voix.

C'est un tissu de parachute. Une de nos plus belles pièces, avec la cartouchière et le drapeau français mangé par les mites. Un truc du Débarquement. Peut-être un soldat américain qui a atterri dans la cour de l'hôtel et que mamie a caché dans son armoire. La toile, pas le soldat ! Enfin, c'est ce que nous avons imaginé pendant les soirées « histoires sous la couette ».

Je la déplie, lentement, comme on défroisse les ailes des papillons tout neufs. Ça fait un frou-frou délicat de trésor.

– Eh, c'est parfait pour une voile de pirate ! s'exclame Alexis, très fort pour casser l'ambiance des souvenirs. Faut pas cacher des trucs pareils !

– Vas-y, tu devrais crier encore plus fort pour que le fantôme de mamie nous surprenne !

Alexis regarde tout autour de lui, même au plafond, avant de reprendre :

– Je disais ça, c'est pour le spectacle. Parce qu'on leur prépare quoi aux parents, cette année ?

Chaque été, en effet, on organise quelque chose pour la famille : pièce de théâtre, numéros de cirque, chansons, tout y passe. Mieux qu'une parade de Disneyland. Du pur Hollywood… enfin pas loin ! Ça nous prend des jours d'organisation et tout le monde est content. C'est bien simple, avec une seule poésie, on peut faire pleurer n'importe quelle mère de n'importe quelle plage des environs ! En plus, deux euros l'entrée, c'est carrément donné…

Comme toujours, nous commençons par un petit bilan. Nous chuchotons pour que personne ne vienne nous déranger.

– Bon, l'an dernier, c'était *Le Petit Prince*. Alex, avec ton jogging vert et ton écharpe jaune, tu étais parfait. Maxime, ton renard ressemblait plutôt à un doberman... mais, peu importe.

– Quoi ? Un doberman... tu veux rire, j'espère ?

– Écoute, j'suis pas le seul à le dire. Tu as déjà vu un renard hurler à la mort pour dire son secret « qu'on voit bien qu'avec le cœur », toi ?

– Tu peux parler, côté serpent, ça faisait plutôt petit boudin créole dans ton grand collant noir ! En plus, tu n'arrêtais pas de gesticuler, on ne comprenait rien au texte.

– J'avais chaud, ça me grattait.

– Oui, ben, le grattage, c'est pas du théâtre !

Alexis, qui fait très bien l'arbitre, siffle entre deux doigts.

– Mi-temps !

– On ne va pas refaire toute l'histoire. Tout le monde avait donné ses deux euros c'est le principal !

On aurait bien attendu encore quelques minutes l'idée du siècle, comme ça, le parachute toujours sur nos genoux, mais puisque nos cerveaux ne voulaient pas décoller plus haut que nos espadrilles, nous avons décidé de grimper au troisième pour trouver l'inspiration.

L'envie de chasser les trésors, ça ne disparaît jamais.

– On garde la toile, ça peut toujours servir, déclare Max.

Elle semble faire des kilomètres. Pas très discret. Heureusement, « l'ennemi » n'est plus dans la cuisine et nous courons mettre le parachute sous notre lit. Personne n'aura l'idée de venir y regarder d'aussi près. Je veux dire que nos paires de baskets sont de parfaites « repousse-adultes ».

4

La chasse au trésor

Sur les trois étages du Pavillon, les couloirs font un labyrinthe d'angles droits. Chaque palier a ses toilettes, les portes des chambres ont encore leur numéro et ressemblent à des cabines de bateau. Il ne manque que la numéro 13. « Tu ne voudrais pas qu'on attrape du malheur tout de même ! » lançait mamie quand je voulais lui parler numérologie.

Nous nous engouffrons dans la 24.

24

Ici, la chaleur est étouffante et l'air confiné écrase nos poumons comme une enclume.

– Ce truc-là, ça inspire quelqu'un ?

C'est une espèce de paire de palmes grises. Maxime la soulève du bout des doigts, prudent, au cas où un requin y serait encore accroché.

– Alors là, pas du tout ! éternue Alexis, rapport à son allergie à la poussière. Compte pas sur moi pour faire la Petite Sirène ou le mérou masqué ! Plutôt cracher des arêtes !

– Ça va, on finira bien par trouver quelque chose dans tout ce bazar.

Chaque pièce est pleine à ras bord, genre caverne d'Ali Baba. Des objets, des dossiers, des souvenirs à trier, des oreillers éventrés. Je ne comprends pas que les parents n'organisent pas un vide-grenier géant sur le trottoir. Avec les touristes, trop heureux d'avoir le cerveau en vacances, ça partirait vitesse hors-bord.

Je pars fureter de mon côté.

À chaque nouveau pas, je tombe sur des statuettes, des tableaux, de vieilles machines à écrire. Je fais l'archéologue. Un vrai musée !

Quand tout à coup, un bruit net et perçant envahit l'étage. Comme si notre navire venait de briser en deux un iceberg translucide. Le fracas de mille bouteilles.

– Eh merde !

Le Maxime des grands jours ! À ses pieds se trouve un grand miroir. Enfin, les restes d'un grand miroir. Juste le cadre en fait…

– Tu sais ce qu'aurait dit mamie ?

– Sept ans de malheur ! ricane Alexis.

– Elle m'aurait surtout épluché comme un lapin. Ça doit coûter une fortune, une glace pareille ; ça date de quand ?

– Du Moyen Âge au moins, j'enchaîne. On dirait de l'or sur le cadre.

– N'empêche que si on se coupe, précise Alexis, on se fait un tétanos en moins de deux.

Pendant quelques secondes, des grains de silence mêlés à la poussière flottent autour de nous. Les parents semblent n'avoir rien entendu. C'est l'avantage, un troisième étage, pour casser des choses.

– On dira que c'est les pigeons, je chuchote.

– Ouais, les pigeons.

Les recherches reprennent. Plus délicatement…

Je pousse une des portes. La salle aux coffres ! Des dizaines de malles y sont empilées en château de cartes. Je plaque ma manche sur mon visage parce que ça sent un peu la souris morte ou le fond de cale.

Bien sûr, je n'ai aucune clé pour les ouvrir mais la rouille a dû faire son affaire aux serrures. Alors je force l'une d'elles. Une cascade de cartes postales coule jusque sur mes pieds. Marseille, Le Croisic, Clermont-Ferrand... il y a sûrement des voyages plus exotiques mais ça fait déjà des kilomètres d'ailleurs. Ce que je remarque tout de suite, c'est qu'elles sont il-li-sibles, et une écriture en patte de mouche, ça ne pardonne pas pour une rédaction. Tu perds automatiquement des points !

Sans attendre, j'ouvre une deuxième caisse.

Là, médusé, je reste bouche bée. Mon cœur s'emballe aussitôt. J'essuie la sueur qui dégouline sur mon front avec le bas de mon tee-shirt parce que, c'est sûr, je viens de tomber sur l'accessoire de rêve.

Johnny
Kidd

5

La planche aux requins

En boitillant, je m'approche de Maxime et d'Alexis. Ils ont le nez toujours plongé dans les vieilleries. C'est parfait. Je reprends ma voix de capitaine.

– Rackam le Roux ! Tu es donc toujours vivant. Plus coriace qu'un poulpe puant !

Maxime sursaute. Il se retourne avec un air de « Bon, c'est un peu lourd de jouer toujours aux pirates, non ? Trouve autre chose ». Mais sans lui laisser le temps de moufter sa réplique, je sors ma trouvaille de derrière mon dos.

Un pistolet, quasi étincelant.

– Eh ! T'as trouvé ça où ? C'est extra !

– On dirait un vrai ! s'emporte Alexis.

– Espèce de buse ! Bien sûr que c'est un vrai !

Je pourrais avoir remporté le marathon de Tokyo, je crois que je ne serais pas aussi populaire qu'en ce moment. Je fanfaronne encore un peu.

– C'est un Luger, c'est allemand. Autant dire que c'est du solide ! Tiens, je suis sûr que le docteur Müller a le même dans *Tintin et l'île Noire*... Müller, c'est bien allemand ?

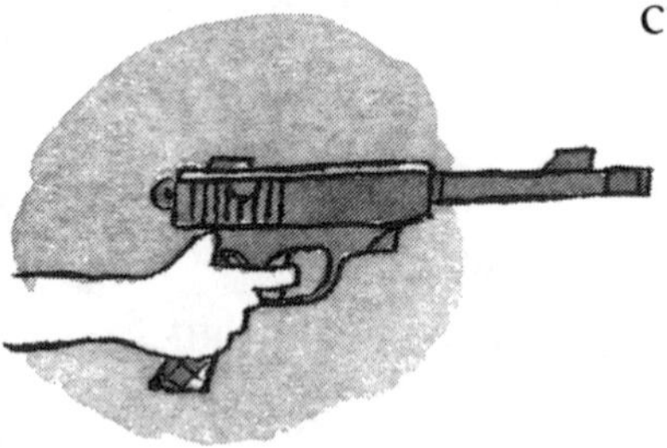

Si ça se trouve, c'est un revolver anglais ou espagnol mais sur le moment, ça ne dérange personne.

– Encore mieux que le parachute, sourit Alexis.

– C'est très précis comme arme, j'ajoute.

Pendant la guerre ici, t'avais pas une mouche qui bronchait devant un Luger ! Ou alors elle finissait en confiture pour les soldats.

– Bien sûr ! s'esclaffe Maxime, et ça tirait droit dans les kangourous aussi ? Avec des balles à tête chercheuse, peut-être ?

Fini la rigolade, je retrouve mon rôle de l'été :

– Fais le malin avec ta chance des dimanches. Personne ne se moque de son capitaine quand il vient de perdre une jambe et demie à combattre dans le triangle des Bermudes. Tu peux prier ta mère, Rackam, parce que c'est la planche qui t'attend.

Je relève mon bras en pointant l'arme dans la direction de mon ennemi.

– C'est un cadeau du Borgne, le vieux pirate qui venait boire dans la taverne de mes parents. « Petit, un jour tu en feras bon usage. » Ce jour est aujourd'hui ! Allez, avance !

Je tremble un peu sous son poids ; l'arme pèse dix tonnes au moins. Rackam panique des cheveux.

– On se calme...

– Les requins vont t'adorer !

– C'est bon, arrête de déconner maintenant.

Pas un sourire. Mon visage est une mer calme, sans aucun vent pour la faire broncher. Je fais semblant de viser.

Et BANG !

Maxime ne bouge pas. Ses sourcils font des points d'étonnement au-dessus de ses yeux vides et une petite seconde de trop s'écoule avant qu'il ne réagisse :

– Ça y est ? J'suis mort ? On peut continuer ?

Je ne suis pas vraiment vexé mais, sur ce coup-là, ce sont des kilos de solitude qui m'aplatissent le corps.

Rapidement, nous ramassons les objets trouvés avant de redescendre les cacher dans notre chambre.

– Je sors, j'en ai pour dix minutes, annonce Maxime d'une voix décidée.

– Alors on ne répète pas ?

– Faut que je trouve une carte pour Agnès avant midi, me répond-il en passant la porte.

Nous le suivons.

– Ça ne peut pas attendre ?

– Ben non ! T'imagines un peu, comme elle doit s'impatienter dans la tour de son grand château de princesse ? Si ça se trouve, elle passe ses nuits et ses jours à fredonner des chansons tristes pour son prince charmant. Enfin, pour moi, je veux dire.

Alexis éclate de rire.

– Un prince charmant ? Tu parles ! Dis plutôt que ta chérie, elle fait des concours de karaoké avec des surfeurs musclés de Tahiti et que ça te met les nerfs en boulets de canon !

Maxime dévale l'escalier sans moufter.

6

Drapeau noir

Alexis soupire comme après un grand effort sauf que, là, c'est de l'ennui complet.

– Juste pour dix minutes… il est parti draguer Marie ou quoi ?

Du perron, nous regardons passer les touristes en short. Les torses nus aussi, ceux avec les marques rouges qui s'arrêtent juste au niveau des manches ou des épaules. Personne ne fait attention à nous pourtant. Plus petits, on savait mettre de l'animation sur la digue !

Maxime s'approche enfin, aussi détendu qu'une méduse. Il tient son tee-shirt à la main pour exhiber ses tablettes de chocolat.

– C'est posté ! Y a un monde fou dans le centre, c'est bientôt la grande braderie.

– Oui, ben nous, on s'en fiche, déclare Alexis. Ça fait une demi-heure qu'on poireaute ici, alors merci bien.

– Eh, j'suis pas votre maman. C'est écrit nulle part dans le règlement que je dois organiser vos vacances.

Justement, la mienne apparaît, un sourire en forme de concombre. J'aime bien quand son visage est reposé par le soleil.

– Si vous voulez manger, les cousins, faudra songer à mettre le couvert !

Alors, dans une ambiance de banquise, nous rentrons aider.

Sitôt le dessert englouti, tout le monde est dans la chambre, porte fermée. Je me lance :

– Avec tout ce qu'on a, *L'Île au trésor* me paraît tout indiqué.

– C'est encore une histoire de pirates, ça ? souffle Maxime.

– Oui, mais si tu préfères qu'on danse *Le Lac des cygnes*, aucun problème !

La balance chavire aussitôt de mon côté parce que c'est sûr, le tutu, les plumes, ce n'est pas pour Maxime.

Méthodiquement, nous étalons les accessoires du spectacle sur le plateau de la commode. Je ressors le pistolet de sous mon oreiller. Il pèse toujours aussi lourd mais s'est habitué au creux de ma main.

– Tu me le passes ? supplie presque Maxime.

– Tsss, tsss, tsss, honneur au capitaine.

– Allez fais pas le rat ou c'est la mutinerie !

Je relève mon bras en pointant l'arme dans la direction de mon ennemi. Pas un sourire. Mon visage est une mer calme, sans aucun vent pour la faire broncher.

Je fais semblant de viser.

Et BANG !

La déflagration m'a soulevé le cœur. En une fraction de seconde, je suis éjecté contre le chambranle de la porte et mon poignet me brûle comme si la foudre s'était abattue dessus. Je prends l'odeur de poudre en pleine figure.

L'arme tombe lourdement sur le parquet. Elle est en pièces.

Un puzzle explosé.

Je ne peux pas dire combien de temps je reste sans broncher. Sonné. C'est un gémissement qui me remet à flot.

– Maxiiiime, Alex ! je hurle.

Panique dans le ventre.

Maxime est affalé, désarticulé sur son lit. Il se tient l'épaule droite. Il grimace, pire que pendant une crise de foie, pire que pendant toutes les crises de la terre.

– T'es cinglé… il… il était chargé… bafouille Alexis en se relevant.

– Non… j'ai rien fait… impossible… c'est pas moi… il était vide, j'suis sûr, c'est trop vieux pour marcher encore.

La chaleur a quitté mon corps, brusquement. Comme si un trou noir m'aspirait l'intérieur du cerveau. Je ne veux pas que mon cousin soit tué. C'était du jeu, juste comme les pirates.

Dans une seconde détonation, la porte de la chambre vole et claque contre le mur. Mes parents déboulent, suivis de mon oncle et ma tante. Ils marquent un temps d'arrêt. Il y a de la terreur dans leurs regards.

Ce sera difficile de leur faire croire que ce sont les pigeons cette fois-ci…

Puis, dans un même élan, ils se jettent sur Maxime comme on repêche quelqu'un qui se noie. Machinalement, mes pieds reculent dans une zone de pénombre parce que je ne veux pas que mon cousin soit tué. Je veux que l'arme retourne dans son coffre, qu'on trouve un autre objet dans une autre pièce, quelque chose d'inoffensif que l'on pourrait poser sur une cheminée. Pas grave si c'est moche comme un petit chien qui fait oui de la tête à l'arrière des voitures.

Je veux que Maxime soit encore le plus fort de nous deux.

7

Après la tempête

C'est peut-être aujourd'hui, maintenant, tout de suite, qu'un oiseau géant va percer le plafond de la salle à manger, planter ses serres dans mes épaules et m'emmener à grands battements d'ailes dans le pays où je n'existerai plus, la planque idéale.

Très possible.

J'ai la tête penchée en arrière sur le dossier de la chaise. Mes yeux suivent le chemin des moulures qui entourent le lustre ancien du salon. Ça ressemble à mon vieux circuit de

voitures électriques. Mêmes virages, mêmes lignes droites, mêmes accélérations, les voitures en moins.

Je ne sais pas depuis combien de temps j'attends tout seul ici. Ce n'est pas moi qui ai décidé.

Il y a bien la grosse horloge qui balance sa petite aiguille après le 3 et sa grande sur le 5 mais « à cause de la montre digitale qu'il a eue pour son anniversaire, Mathieu ne sait toujours pas lire l'heure »…

Je ne sais toujours pas.

Ce qui est sûr, c'est qu'il n'y a plus que du silence. Sûr aussi, qu'aujourd'hui 6 août, maintenant, tout de suite, aucun oiseau géant n'arrive pour me sauver d'ici. Je l'aurais parié. Juste une mouette qui se moque au travers de la fenêtre ouverte et ne s'arrête même pas pour prendre des nouvelles de mon bandage.

Vraiment trop bête les mouettes.

Remarque, nous qui voulions faire du spectacle, c'est réussi…

À l'heure du café des adultes, tout le monde est parti en catastrophe aux urgences. Seule maman est restée avec moi. Elle a crié juste ce qu'il faut. Elle voyait bien que ça me resterait longtemps à l'intérieur, cette histoire. Et puis elle m'a soigné la main en répétant plusieurs fois qu'une arme, ça n'a rien à faire dans une maison.

Mes jambes trouvent le temps long.

J'ai beau les balancer d'avant en arrière, elles iraient bien plus loin encore si je les laissais faire. Dans le pays où personne ne saurait qui je suis, par exemple.

Le garçon au pistolet.

Quand tout à coup, le verrou de la porte d'entrée cliquette ses deux tours obligatoires. Ça ne ressemble pas au bruit de la délivrance mais je tremble de partout.

Alors Maxime entre. Il est un peu pâle, c'est normal, escorté d'Alexis qui le suit comme un garde du corps.

Rien que de l'apercevoir avec son bras en écharpe, je pleure toute ma peur d'un seul coup. Des cascades de sanglots sans pouvoir reprendre mon souffle.

En fait, le pistolet n'était pas du tout allemand… juste américain. Il n'y avait même pas de balle dedans. Des restes de poudre, assez en tout cas pour faire exploser le tout. C'est un éclat qui a frôlé son épaule.

Maxime s'approche de moi, à petits pas et me chuchote.

– T'aurais vu l'infirmière !

– Quoi ?!

Je me mouche d'un revers de manche.

– L'infirmière, elle s'appelait Julie. Des yeux gris-vert, un petit sourire timide qui soulage mieux qu'un pansement… enfin comme dans une série de la télé, mais en vrai…

Je suis trop fatigué pour réagir.

– … avec des mains douces… Je lui ai bien dit qu'elle ferait mieux de me garder. C'est vrai, on ne sait jamais avec les complications, les crises cardiaques et tout et tout, mais non ! Bonne nouvelle,.je dois y retourner dans une semaine pour une visite de contrôle… Ce sera Julie et personne d'autre !

Maxime ne pense même pas à m'égorger. Je ne dis pas qu'il pète le feu mais ils ont dû le bourrer de calmants à l'hôpital parce qu'il y a toujours de l'énergie sous ses mèches rousses.

– Pardon, Maxime.

L'excuse, elle est sortie toute seule. Comme on enlève son déguisement et qu'on redevient le garçon normal, celui d'avant.

– Ça va… c'est bon… Si ça se trouve, je vais être un héros pour Agnès avec ma blessure de guerre. Il faut que je lui écrive une autre carte pour la préparer. J'en rajouterai peut-être un petit peu, histoire de… Mais on va quand même pas arrêter les pirates pour cet été, d'accord ?

Épilogue

Les parents ont décidé de retourner toutes les chambres du troisième le plus vite possible et du « fond jusqu'aux combles ». Grand ménage.

– Avec la braderie du 15 août, sur la digue, c'est l'occasion de faire des affaires ! a lancé mon père.

– Et du tri par la même ! a précisé maman, d'un ton décidé.

Moi, je n'ai pas fait l'aventurier. J'ai même évité les coffres et les placards avec la drôle d'impression que les pièces étaient encore plus vastes. Un estomac géant. Pourtant, entre de belles mochetés et des papiers à souvenirs, chacun y est allé de sa petite anecdote. Faut dire qu'autant d'années empilées, ça fait comme des pelotes de famille à démêler.

On s'est donc séparés de tout ce qui rappelait la guerre. Sauf de l'immense toile de parachute qui a été oubliée sous le lit. C'est vrai que ça fera une grande voile idéale. Tant pis pour la cartouchière, le drapeau et les avalanches de médailles.

– Peut-être qu'un soldat américain est tombé dans le jardin pendant le Débarquement, a supposé maman.

« C'est exactement ce qu'on pensait », j'ai failli dire avant que Maxime me cloue du regard.

– Papa n'en a jamais parlé, a continué ma tante. En tout cas, ce sera parfait pour les collectionneurs !

La veille de la braderie, direction la plage pour souffler un peu. Maxime bombe fièrement le torse et son bras, en passant devant Marie et ses guiguis géantes.

– Eh Indiana Jones, ça méritera une petite consolation… ! lance-t-elle de derrière son comptoir.

Maxime… bien sûr…

– C'est Agnès qui va être contente, je lui souffle.

– Ma nièce ? Pas de problème !

Et il éclate de rire.

Nous pataugeons une nouvelle fois entre les algues gluantes pour rejoindre la mer. S'il y a un dieu de la mer quelque part, tu peux être certain qu'il n'habite pas à Lion-sur-Mer, rapport à l'odeur. Je ne m'y ferai jamais.

– Au fait, ce sera quoi, votre super production cette année ? s'informe mon oncle, un petit sourire au coin des lèvres. Les trois petits cochons ? Les trois mousquetaires ? Les dix commandements ? Ben Hur ?

Nos yeux se croisent avec Maxime et Alexis. Trop beau pour être vrai.

– *La Terrible Revanche du capitaine Varech* ! hurle Alex.

Et sans pitié, nous lui sautons dessus.

À l'abordage !

Sans avoir le temps de prendre sa respiration, il s'affale dans la bouillie verdâtre.

À l'abordage, ça devrait toujours finir comme ça, les malédictions !

Table

Achevé d'imprimer
en août 2006
par l'Imprimerie Floch à Mayenne
pour le compte des éditions
ACTES SUD
Le Méjan
Place Nina-Berberova
13200 Arles.

Dépôt légal
1re édition : septembre 2006
N° impr. : 66366
(Imprimé en France)